제니로 알려진 노금희

제니로 알려진 노금희

발 행 | 2024년 02월 08일
저 자 | 남킹
펴낸이 | 한건희
펴낸곳 | 주식회사 부크크
출판사등록 | 2014.07.15.(제2014-16호)
주 소 | 서울특별시 금천구 가산디지털1로 119 SK트윈타워 A동 305호
전 화 | 1670-8316
이메일 | info@bookk.co.kr

ISBN | 979-11-410-7108-0

www.bookk.co.kr

제니로 알려진 노금희

남킹의 기이한 이야기

목차

마르 데페스에게 이 책을 바칩니다.

얼굴 없는 여자

안미자

"성명과 나이는 어떻게 되나요?"

"안미자. 29세입니다."

"피해자 김지영과 어떤 관계인가요?"

"중학교, 고등학교, 대학교 친구입니다."

"김지영 씨는 어떤 사람입니까?"

"매우 사악한 여자입니다. 내 친구지만 언젠가 이런 날이 올 줄 알았습니다."

"학창 시절 유명했나요?"

"아뇨, 정반대입니다. 정말이지 대학 가기 전까지 저는 지영이가 이런 애 일 거라고는 상상도 못 했습니다. 말 없는 외톨이였으니까요. 제가 유일한 친구입니다. 그냥 돈에 대해서 민감하다는 것 빼고는 그야말로 공부만 하는 애였습니다."

"돈에 민감하다면…. 가난했나요?"

"웬걸요. 어마어마한 부잣집 외동딸입니다. 그녀의 할 아버지가 친일파로 막대한 부를 축적했거든요. 태평양 전쟁 때 일본에 국방헌금을 가장 많이 내 자였어요. 그 래서 감수포장(紺綬褒章) 상까지 받았다고 제게 자랑하 곤 했어요."

"친일한 것을 자랑했다고요?"

"네. 지영이는 뭐랄까…. 그런 역사의식이 좀 결여된 것 같았어요. 사실 그 집안사람들이 좀 그랬던 것 같아 요."

"어떤 근거로 그런 생각을 하게 되었나요?"

"지영이 집에 놀러 간 적이 있었어요. 그런데 이상했어요. 집안 곳곳에 일본 문화가 눈에 띄었어요. 심지어 일장기도 있었어요. 그런데 더 가관인 것은, 그런 것을 은근히 자랑하는 것처럼 보였어요. 지영이 부모 말이에요."

"특이하군요."

"네. 특이했어요. 부끄러운 것을 모른다고 해야 하나, 아니면 다른 이의 시선에는 관심이 없다고나 해야 하나…."

"그 외에 다른 특이점은 없었나요?"

"식사 때 줄곧 돈 이야기만 하였어요."

"누가요?"

"모두가요. 아버지는 주식, 어머니는 부동산, 지영이와 동생은 용돈 타령을 했어요."

"김지영 씨는 용돈이 많았나요?"

"아뇨, 중산층인 저보다 더 적었어요. 제가 말했잖아요. 지영이는 돈에 민감하다고. 그러니 늘 거짓말로 돈을 타 내곤 했어요. 뭐 교재비, 학원비, 학용품비 등등"

"그럼, 그때부터 피해자는 상습적인 거짓말을 한 거군요?"

"뭐, 딱히 그렇다고는 할 수 없어요. 알잖아요? 학창 시절…. 늘 돈이 고프죠. 그리고 한두 번 정도는 부모 속여 삥땅하곤 하잖아요."

"김지영 씨가 사악하다고 느낀 계기가 있나요?"

"순전히 그 영화 때문이에요."

"영화?"

"네. 맘마미아. 대학 입학 후 지영이와 함께 보러 갔었
어요."

"어떤 내용이길래?"

"그냥 춤과 노래, 사랑이 나오는 영화에요. 아름다운
에게해에서요. 하지만…."

"하지만?"

"지영이는 나 몰래 그 영화를 다섯 번이나 더 봤다고
하더군요. 완전히 빠진 거죠. 처음엔 외모만 바뀌었어
요."

"어떻게 달라졌나요?"

"귀밑과 손등에 손톱만 한 문신을 새겼어요. 사실, 얼굴 없는 지영이를 대번에 알아본 것도 시신의 손등에 난 문신을 봤거든요. 아무튼 7개의 귀걸이를 하고 하얀 이어폰으로 귓구멍을 틀어막더군요. 보온용 옷은, 최소한의 가림 용으로 빠르게 바뀌었고요. 구두 굽은 올라가고 머리는 보라색으로 물들었죠. 테크노에 심취하고 호세쿠엘보 테킬라를 마시며 손등에 바른 소금을 핥기도 했어요."

"조신한 신입생은 아니었군요."

"그렇죠. 외모가 바뀌자 행동이 달라지더군요. 친구가 늘어나기 시작했어요. 그런데 모두 남자였어요. 그리고 그때부터 지영이의 본색이 드러나기 시작했어요. 돈에 대한 엄청난 집착 말이에요."

"예를 든다면?"

"뭐, 우리가 익히 뉴스나 그런 데서 접하는 그런 것들이에요. 돈 많고 순진한 남자 꾀어서 빨대 꽂아 쪽쪽 빨아 먹는 거죠. 빈 깡통 될 때까지 말이에요. 솔직히 저도 지영이 덕분에 사치로 범벅이 된 우리 도시의 아름다운 곳을 일찍 경험한 편이죠."

"그럼, 그녀에게 원한을 가질 만한 남자들이 있겠군요?"

"당연하죠. 그러다 그 사건이 터진 거예요. 학교를 떠들썩하게 만든."

"무슨 사건인가요?"

"도곡동 술집 화장실 강간 사건 들어보셨어요? 음⋯. 그러니까 이미 8년 전이네요."

"네. 들어는 본 것 같습니다. 구체적인 기억은 잘 안

나지만."

"제가 그때 그 자리에 있었거든요. 정황상 지영이가 쇼한 게 틀림없어요. 지금에 와서 하는 말이지만."

"어떤 일이 있었던 건가요?"

"사건은 아주 간단해요. 술이 많이 취한 석현이가 토하려고 화장실로 갔는데 지영이도 따라갔죠. 그런데 잠시 후 지영이가 화장실에서 울고불고 난리 블루스를 추더군요. 석현이가 자기를 강간하려고 했다고…. 어이가 없죠. 한마디로."

"왜 어이가 없다고 생각했나요?"

"순진한 석현이 꼬셔서 호텔에서 뒹군 것만 해도 수십 번이에요."

"그런데 왜 김지영 씨는 그를 강간으로?"

"뻔하죠. 단물 다 빨아먹고 버리려는데 껌딱지처럼 달라붙었으니 떼려고 한 수작이죠. 뭐. 게다가 다른 호구가 생겼거든요. 그러니 급한 거죠."

"그래서 어떻게 되었어요."

"지영이 뜻대로 모든 게 다 이루어졌죠. 석현이는 허겁지겁 군대로 도망가고 지영이는 입막음 조로 목돈까지 챙겼죠."

"학교를 떠들썩하게 했다고 하지 않았나요? 게다가 제가 어렴풋이 기억할 정도면 꽤 큰 사건 같은데….."

"사건은 그로부터 일 년 뒤에 터졌죠. 석현이가 전방 초소 화장실에서 숨진 채 발견되었거든요. 유서를 남기고. 그런데 그 유서가 학내 대자보에 실렸어요. 거기에는 지영이가 석현이에게 한 온갖 악행이 낱낱이 기록되어 있었어요. 가장 친한 친구인 나도 모르는 사실이 부지기

수였어요. 그때 전 깨달았죠. 지영이는 악마다."

"그래서 그 후 어떻게 되었나요?"

"감쪽같이 사라졌어요."

"김지영 씨가?"

"네. 저는 천만다행이라고 느꼈어요."

"이후 김지영 씨를 만난 적은 없나요?"

"네. 없어요. 지영이가 죽기 전까지는 요."

김지성

"이름과 나이를 알려주세요."

"저는 김지성이고 나이는 스물일곱입니다."

"피해자 김지영과 어떤 관계인가요?"

"친동생입니다."

"누나 김지영 씨는 어떤 사람이었는가요?"

"예쁘고 따뜻하고 정이 무척 많았어요. 제 누이지만 최고의 성품을 가진 여인이었습니다. 이런 일이 생기리라고는 도저히 상상도 못 했습니다."

"김지영 씨의 학창 시절은 어떠했나요?"

"무척 활발했어요. 주변에 친구도 많았죠. 따라다니는 남학생들도 꽤 있었고요. 한마디로 학내 최고의 얼짱이었어요."

"김지영 씨가 돈에 민감했다고 하던데?"

"네. 그건 그럴 수밖에 없었어요. 부자지만 부모님이 무척 겸손하셨거든요. 저도 그건 마찬가지예요. 돈을 함부로 낭비하지 않으려고 노력하는 편이죠."

"김지영 씨가 고등학생 때까지는 외톨이에, 친구는 딱 한 명밖에 없다는 진술이 있는데 어떻게 보시나요?"

"누가 그러던가요? 안미자가 그랬죠? 그 여자는 사탄이에요."

"안미자 씨에 대해서 알고 있군요?"

"네. 잘 알죠. 그 여자가 외톨이에다 왕따였어요. 늘 교실 구석에 처박혀 투명 인간으로 살았죠. 증거 목록으로 제출한 누나 일기장에 모든 게 적혀 있어요. 그러던 어느 날, 착한 우리 누나가 손을 내민 거예요. 보기 안쓰럽다고. 하지만 지나고 보니 우리 누이를 파멸로 이끈 바로 그 순간이었어요. 악마를 품고 말았으니…."

"그럼 안미자 씨의 유일한 친구가 김지영 씨가 되는 건가요?"

"그렇죠. 좀 전에 말씀드렸듯이 누나는 인기가 많았어요. 우리 집에 데려온 친구만 해도 수십 명은 될 거예요. 그중에 안미자도 끼어 있었죠."

"그럼 그때 안미자 씨를 처음 본 건가요?"

"네. 그렇죠. 정말 이상한 여자였어요."

"어떤 점에서 그런가요?"

"집 구석구석을 끊임없이 훑어봤어요. 마치 살인 현장에 있는 강력계 형사처럼 보였어요."

"집 안에 일본과 관련한 물건들이 많았다고 하던데?"

"누가 그러던가요? 아! 안미자가 그러던가요? 그랬을 거예요. 틀림없이 그년이 그렇게 말했겠죠?"

"네. 친일파라고 하더군요."

"하하하. 웃음밖에 안 나오는군요. 정반대에요. 아시겠어요? 형사님. 저희 할아버지는 독립운동가입니다. 대한독립단과 상하이 대한민국임시정부와 관계하면서 군자금 모집에 관한 증명서와 권총을 들고 부호 가를 돌면서 독립운동 자금을 징수하여 임시정부로 보낸 분입니다. 결국 1922년 1월에 검거되어 징역 10년 형을 선고받고 옥고까지 치렀고요."

"그런데 집안에 일장기가 걸려 있다고 하던데?"

"일장기가 아니라 일장기가 크게 그려져 있는 법정에 선 할아버지의 사진을 본 거겠죠. 안미자는 그런 여자예요. 무식하고 질투에 사로잡힌 년이었다고요. 모든 것이 완벽한 누나를 시기한 거예요. 한번 생각해보세요. 저희 누나는…. 이쁘고 똑똑하고 착하고 성실하죠. 그야말로 인기가 하늘을 찔렀단 말이에요. 게다가 뼈대 있는 독립운동가 집안이고요. 이건 뭐, 누가 봐도 질투를 느낄만하지 않습니까? 그러니 그 사악한 년이 은혜를 원수로 갚은 거란 말입니다."

"영화 맘마미아를 보고 누나가 많이 달라졌다고 하던데…. 사실인가요?"

"누가요? 제 누나가요? 천만에요. 맘마미아에 빠진 건 안미자 그년이었어요. 누나는 뭐랄까…. 그런 가볍고 다분히 십 대 취향 적인 로맨스 영화 따위에는 관심이 없어요. 오히려 그 반대죠. 삶을 관통하는 심오한 영화를 사랑했어요. 스탠리 큐브릭 감독 작품 마니아였죠."

"스탠리 큐브릭 감독?"

"네, 예를 들면 <2001 스페이스 오디세이>나 <아이 즈 와이드 셧> 같은 작품들이죠. 누나의 일기장에 모든 게 쓰여있어요. 한번 읽어보세요. 모든 게 확연히 보입니 다. 예술을 흠모하고 가벼움에 휘두르지 않는, 진지한 인 생의 고뇌와 깊이를 느낄 수 있죠."

"누나가 문신을 한 게 그때쯤이라고 하던데? 그러니까 대학 시절⋯."

"순전히 안미자 때문이죠. 그년이 먼저 귀밑과 손등에 손톱만 한 문신을 새겼거든요. 게다가 7개의 귀걸이를 하고 하얀 이어폰으로 귓구멍을 틀어막았고요. 보온용 옷은, 최소한의 가림 용으로 빠르게 바뀌었어요. 구두 굽 은 올라가고 머리는 보라색으로 물들었죠. 테크노에 심 취하고 호세쿠엘보 테킬라를 마시며 손등에 바른 소금을

활기도 했어요. 그리고 순진한 우리 누나를 매일 꾀었어
요."

"누나가 했다는 거예요? 아니면 안미자가 그랬다는 거
예요?"

"둘 다요. 안미자의 끝없는 강요에 누나도 어쩔 수 없
이 했어요. 똑같이."

"두 사람이 특히 친했던 건가요?"

"일방적이었어요. 안미자가 제 불쌍한 누나를 항상 따
라다녔죠. 착한 우리 누나는 어쩔 수 없이 받아들인 거
고요."

"도곡동 술집 화장실 강간 사건 아시죠?"

"네. 잘 알죠. 제가 안미자를 사악한 인간으로 규정하
는 결정적인 사건이었으니까요."

"어떻게 된 건가요?"

"석현 형이 술에 취해 제 누나를 화장실에서 강제로 키스를 한 거죠. 그리고 누나는 형을 이해했어요. 형이 군대 가기 직전이었거든요. 다분히 그럴 수 있다고 판단한 거죠. 그래서 그냥 조용히 넘어가려고 했어요. 그런데 안미자 그년이 경찰에 신고한 겁니다. 질투와 배신에 눈이 멀어서죠. 왜냐면 석현 형을 안미자가 짝사랑했거든요."

"그래서요?"

"누나는 애초에 고소할 생각이 없었어요. 그래서 원만하게 합의하였고 형은 그냥 군대 간 겁니다. 그런데 안미자가 끝없이 물고 늘어졌어요. 뭐, 언론에 이 사실을 뿌리겠다 학교와 군에 진정서를 제출하겠다 등등 갖은 모함과 협박이 이어졌죠. 그리고 결국 석현 형의 자살로 끝난 거고요."

"그 사건 이후에 누나가 사라졌다고 하던데?"

"그럴 수밖에 없었어요. 마치 우리 누나가 석현 형을 죽인 걸로 소문이 났거든요. 그때 저는 확신할 수 있었죠. 안미자는 사탄이다."

조민식

"이름과 나이를 알려주세요."

"조민식입니다. 스물아홉입니다."

"고인과 어떤 관계인가요?"

"전 남친입니다."

"언제 헤어졌나요?"

"작년에요."

"언제 처음 만났나요?"

"고등학교, 대학교 동창입니다. 그러니까 김지영은 고2

때 처음 알게 되었어요. 물론 일방적인 짝사랑이었습니다. 대학 3학년 때까지는…. 그러다 지영이가 도곡동 술집 사건으로 힘들어할 때 본격적으로 사귀게 되었습니다."

"왜 헤어졌나요?"

"음…. 뭐랄까…. 제가 들어갈 자리가 없었어요. 지영이의 마음에…."

"김지영 씨가 다른 사람을 사랑한 건가요?"

"그런 거는 아닙니다만…. 늘 껌딱지처럼 붙어 다니는 친구가 있었어요."

"안미자 말씀이군요?"

"네. 맞습니다."

"두 사람은 어떤 관계였나요?"

"한마디로 정의하자면 애증 관계였어요. 서로가 없으면 못 살 정도로 친한 것처럼 보이다가도 또 어떤 때는 서로가 죽일 듯이 싸우곤 했어요."

"한쪽이 일방적으로 쫓아다닌 거는 아니고요? 안미자가 김지영에게 집착했다는 얘기가 있던데…."

"처음엔 그랬죠. 안미자는 고등학교 때 거의 왕따 수준이었는데 지영이가 손을 내밀자 자연스레 따르기 시작했죠. 그러다 그게 점점 일방적인 집착으로 바뀌었고요. 하지만 어느 순간부터…. 그러니까 제가 본격적으로 사귈 때쯤에는 그 관계가 모호했어요. 뭐랄까…. 마치 두 사람이 하나가 되어 가는 듯한 느낌이었어요."

"하나가 된다고요?"

"네. 거의 모든 게 흡사했어요. 마치 쌍둥이처럼…. 저는 그것을 속죄와 앙심으로 해석했어요."

"속죄와 앙심?"

"네. 그 뿌리는 지영이의 할아버지로부터 시작하였어요."

"할아버지라면?"

"네. 악명높은 친일파였죠. 제가 지영이에게서 들은 이야기는 이렇습니다. 안미자의 할아버지는 장안에 손꼽히는 갑부였어요. 그리고 몰래 독립군 자금을 제공했어요. 그런데 어느 날 안미자 할아버지 하인 중 한 명이 그 사실을 밀고 했습니다."

"그 하인이 그러면?"

"네. 바로 지영이의 할아버지입니다. 그로부터 두 집안의 운명이 바뀐 거죠. 한쪽은 철저하게 파괴되어 지금까

지 가난과 고통 속에 신음하는 반면, 한쪽은 해방 후에
도 여전히 엄청난 부를 과시하게 되었죠."

"그러면 김지영은 속죄를 위하여 안미자와 가까워진
건가요?"

"그런 셈이죠."

"그럼 조민식 씨가 보기에, 안미자가 김지영을 죽였다
고 생각하는 건가요? 앙심을 품고"

"누가 누구를 죽여요? 안미자가 김지영을?"

"네, 안미자가…."

"안미자가 죽은 게 아니었어요?"

"네? 그럴 리가요? 고인이 된 사람은 김지영이 확실
합니다. 소지품에서 신분증이 나왔거든요."

"아뇨, 그렇지 않아요. 제가 조금 전에 말씀드렸잖아요. 하나가 되었다고…."

"하나가 되었다니…. 그게 무슨 말씀이신지?"

"저도 그게 그러니까…. 이상했어요…. 데이트 장소에 지영이 대신 안미자가 나오곤 했어요. 처음에는 구별되었어요. 두 사람이 비슷했지만, 아무튼 좀 달랐으니까…. 하지만 어느 순간부터 구별이 되지 않았어요. 누가 누군지…."

"아니 그게 가능한가요? 외모가 달랐을 텐데?"

"아뇨. 가능했어요. 서로서로 성형했어요. 외모와 체형, 분위기까지…. 마치 그들은 속죄와 양심을 버무려 하나로 빚어지기를 원한 것 같았어요."

"그럼 당신이 보기에 저 얼굴 없는 여자 시신은?"

"누군지 모르겠어요. 하지만 둘이 육체적으로 완벽한 하나가 된 것은 확실합니다."

쾌락

범죄자의 어린 시절은 불행한 편이다. 어떻게 아냐고? 보고 배웠다.

나는 다큐멘터리를 즐겨 본다. 처음에는 BBC가 선사하는 동물의 왕국을 즐겨봤다. 그러다 점점 범죄 쪽으로 넘어갔다. 그곳에 등장하는 범법자들은 하나같이 어린 시절, 부모나 형제들에게 학대당했다고 진술했다. 그런 의미에서 나는 좀 특이하다고 해야겠다. 왜냐하면 나는 외아들에 장남으로 태어나 부모의 사랑을 듬뿍 받으며 자랐기 때문이다.

물론 아주 문제가 없었던 것은 아니었다. 아버지는 과도한 로맨티시스트였다. 게다가 그에 걸맞게 수려한 외모와 출중한 허우대, 번지르르한 말발을 타고났다. 아버지의 직업 또한 그분의 <바람기>에 이보다 더 좋을 수가 없었으니, 이름하여 <해외바이어>. 하늘을 내 집 삼아 그분의 발길이 닿은 곳이면 어김없이 <하오의 정사>가 펼쳐졌다.

어머니가 폭발한 것은 내가 고등학교에 막 입학한 때였다. 별거가 시작되고 곧 이혼 소송이 진행되었다. 재산 분할이나 위자료는 원만하게 끝났다. 내 여동생들의 양육권도 어머니에게 돌아갔다. 문제는 나였다. 나는 아버지를 선택했다. 어머니는 적지 않은 충격을 받았다. 어찌 보면 남편에게 당한 배신보다 더 큰 아픔이었다.

나는 초등학교 시절 남들보다 똑똑했다. 적은 노력으로 반에서 늘 1, 2등을 다투었다. 그러므로 나는 어머니의 명품이었다. 남편의 빈 자리를 잘 난 아들이 메꾸었다. 어머니의 사랑은 온전히 나의 몫이었다. 그러므로 나는 실망한 어머니를 설득하기 위해 착한 거짓말을 했다.

"이사할 필요도 없고 학교를 옮기지 않아도 되고, 대학생이 되면 독립할 생각이에요. 그러니 내게 양육권은 의미가 없어요. 너무 심각하게 받아들이지 마세요. 엄마."

내가 아버지를 선택한 속셈은 따로 있었다. 어머니가

표현하는 사랑의 방식은 지나친 관심이었다. 솔직히 나는 어머니의 간섭에서 벗어나고 싶었다. 게다가 아버지는 대부분 해외에 머물렀다. 그러므로 나는 텅 빈 집에서 온전히 나만의 자유를 만끽할 수 있었다. 내가 무슨 짓을 해도 모든 게 허용되는 나만의 공간. 주변을 둘러보지 않아도 되고, 오로지 나의 관심에만 몰입할 수 있는 상태. 나는 그게 꼭 필요했다. 왜냐하면 그즈음 나는 해킹에 푹 빠져 있었기 때문이었다.

처음은, 다른 이들과 마찬가지로 단순한 호기심에서 시작하였다. 우연히 접한 해외 단신.

'해커 집단 노바디(Nobody)의 일원인 16세 데이브는 미 항공우주국(NASA)을 해킹해 수백만 달러 가치의 소프트웨어를 훔친 혐의로 청소년에게는 과한 징역 6개월 형을 언도받았다. 그가 해킹한 이유는 단지 쾌감을 느끼기 위해서였다.'

내가 주목한 것은 <쾌감>이었다. 즉, 인간의 심리적

상태에 관심을 두었다. 누군가 할 수 없는 것을 나는 할 수 있다는 <우월감>. 소심한 너희들이 겁내는 것을 나는 대범하게 할 수 있다는 <자만감>. 금지하고 숨기고 억압하면 할수록 더욱 하고 싶어지는 인간의 본능적인 <반항>.

마치 미국의 악명높은 <금주법>과 같았다. 법으로 술을 마시지 못하게 하니까 사람들은 오히려 술에 더 집착해 마셨다. 이것은 또한, 금단의 열매, 선악과와도 같은 거였다.

'이 동산에 있는 나무 열매는 무엇이든지 마음대로 따 먹어라. 그러나 선과 악을 알게 하는 나무 열매만은 따 먹지 마라.'

이 말은 인간에게 <꼭 따 먹어라!>는 명령과 하등 다를 바 없다. 인간은 원래 그렇게 태어난 존재다. 본능적으로 자유나 누림에 대한 억압, 반항, 거절을 품고 있다. 단지 사회의 법이나 관습, 도덕 같은…. 인간이 같이 살기 위해 마련한 규칙 같은 것에 얽매어, 시도하지 않는 인간과 그런 것에 그다지 개의치 않는, 나 같은 부류가 있을 뿐이다.

학교에서 돌아오면 나는 늘 컵라면 한 개에 뜨거운 물을 붓고 책상에 앉아 PC를 켜고 모니터를 주시했다. 그리고 시선을 화면에 고정한 채, 라면을 허겁지겁 입에 쑤셔 넣었다.

나는 늘 이 순간을 기다렸다. 나는 느낀다. 나의 몸이 움직이기 시작한다는 것을. 나의 뇌에 산소와 포도당 공급이 촉진되고 심박수와 일회박출량이 늘어난다. 동공이 넓어지고 혈당 수준이 오른다. 신경 세포가 예민해지고 손 마디마디 근육이 민감하게 반응하기 시작한다. 그리고 나를 몰입과 쾌락으로 몰아넣는 고마운 녀석이 나타난다. 도파민. 나는 도파민 중독자이다. 어쩌면 이것은 유전일지도 모른다. 즉, 아버지도 나와 같은 중독 환자일 것이다. 단지 종목이 다르다는 것일 뿐.

내 삶의 궁극적 목적. 해킹의 목표는 도파민 분비 촉
진이었다. 아버지의 섹스처럼.

노예

고통이 나를 깨웠다. 답답한 공간. 나의 눈 바로 위에 벽이 있다. 그 벽 위에는 또 다른 이가 있다. 그리고 그 위에는 또 다른 이가 존재한다. 그렇게 10층까지 올라간다. 그리고 시작된 고약하기 짝이 없는 냄새. 온갖 오물을 버무린 듯한 역겨움이 사방에서 나를 할퀸다. 나는 몸을 애써 틀어본다. 무거운 쇠사슬이 내 손, 내 발에 딸려 드르륵거리며 딸려온다. 잠시 숨을 참았다 다시 심하게 내뱉으며 살아 있음을 느끼려고 애쓴다. 그 순간 끼익하며 녹슨 철문 소리가 열리는 소리가 들렸다.

누군가가 내가 갇혀 있는 공간으로 들어왔다. 나는 문틈으로 새는 한 줄기 빛에 고마움을 표했다. 삽시간에 공간이 조금 밝아졌다. 흐릿하지만 갇혀 있는 이들의 모습이 그려진다. 쇳소리와 부스럭거리는 소리가 사방에서 몰려왔다. 널브러진 인간들이 버둥거린다.

"기상!"

문 옆에 선 자는 인상을 쓰며 단 한마디를 외치고는,

공간을 밝히는 스위치를 켜고 나가버렸다. 나는 주변을 살폈다. 모두는 비슷한 모습으로, 밝은 빛에 눈을 찡그리며 두리번거린다. 철망에 줄줄이 엮인 우리는 모두 지렁이처럼 꿈틀거린다. 그들의 옷가지와 발밑, 누운 몸뚱이 곁에는 지난밤 싸질러놓은 똥, 오줌이 번질거렸다. 어떤 이는 그 위에 다시 구토하고 있다. 만약 누군가 이곳을 영상이나 기록으로 남긴다면 지옥이라는 제목 외에는 다른 것은 전혀 생각할 수 없을 것이다.

나는 내 주변의 사람과 닮았다. 그들도 나와 같은 정도의 공포와 두려움, 절망과 고통 속으로 채색된 표정을 담은 채, 주변을 두리번거리고 있다. 인종과 나이, 피부색 심지어 성별까지 다 달랐지만 단 한 가지의 공통점이 있다. 마치 모국어를 잊어버린 듯 모두 신음만 내고 있다.

내가 이곳에 갇힌 날들을 꼬집으려고 애썼다. 하지만 당최 시간을 짐작할 수가 없다. 하루 두 번의 식사와 한 시간의 운동으로 대충 이곳에서 보낸 날짜를 계산해보았다. 적어도 열흘은 넘은 것처럼 느꼈다.

'도대체 어디로 가는 걸까?'

'아니 그보다는 언제쯤 도착하는 걸까?'

나는 우리의 목적지가 설령 생지옥이라 할지라도 하루 빨리 도착하고 싶은 마음뿐이었다. 아마 이런 생각은 여기 갇힌 모두의 공통적인 생각일 것이다.

'아무리 못해도 여기보다는 낫겠지.'

그저 숨 쉬고 살려고 노력하는 이면에 숨은 기대는 이런 거였다.

'그래, 여기보다는 나을 거야!'

갑자기 천장에서 노란 액체가 쏟아졌다. 우리는 모두 이제 이것에 익숙하다.

'살균액'

항상 하루의 처음은 이 노란 액으로 시작하였다. 처음 이 액을 뒤집어썼을 때는 꽤 고통스러웠다. 비릿한 냄새와 함께 실오라기 하나 걸치지 않은 연약하기 짝이 없는 내 몸 전신에 이것은 극심한 고통을 안겼다. 나뿐만 아니라 여기 갇힌 우리가 모두 그랬다. 우리는 공간이 떠나갈 듯이 소리치며 괴로워했다. 하지만 이것도 하루 이틀 맞다 보니 어느새 익숙해졌다. 게다가 액체 속에 담긴 강력한 살균제가 우리 피부의 상처를 빠르게 치료해주었다. 그러므로 우리는 곧 이 액을 기다리게 되었다. 행복한 소독 시간.

살균이 끝나고 약 10분쯤 지나면 우리가 좋아하는 샤워 시간이 돌아왔다. 천장에서 물이 소나기처럼 쏟아졌다. 우리는 그때 각자의 침대에 묻은 오물을 잽싸게 처리하고 한 번이라도 더 신선한 물을 내 몸에 묻히려고 발버둥을 쳤다. 그러면 공간 전체가 쇠사슬과 물소리에

귀가 떠나갈 듯이 메아리쳤다.

  샤워가 끝나고 어느 정도의 시간이 흐르면 음식이 들
어왔다. 늘 같은 메뉴. 허 멀건 죽 한 그릇. 인간이 이런
것만 먹고도 살 수 있다는 게 신기할 따름이다. 맛은?
천국의 맛이다. 삽시간에 죽이 사라진다. 아마 10초도
걸리지 않을 것이다. 식기를 씻을 필요도 없다. 우리는
모두 혓바닥으로 샅샅이 접시를 닦아댄다. 너무 아쉽다.
그 순간 우리의 뇌는 탐욕을 부채질한다. 주변을 훑어본
다. 내 이웃, 병든 자들의 접시에 담긴 죽이 보인다. 우
리는 아귀처럼 달려들어 그것을 뺏으려고 한다. 자비는
없다. 죽지 않으려는 욕망뿐이다.

  음식을 뺏긴 그들은 얼마 지나지 않아 숨을 거두고 우
리 곁에서 사라진다. 그들은 바닷속으로 던져지고 마침
내 자유로운 영혼을 얻을 것이다.

미자 옆 칠규

1. 엘리베이터 / 낮

엘리베이터 안.
미자와 칠규가 엘리베이터에 타고 있다.

칠규

> 저, 저기요. 아니, 엘리베이터에서
> 끼면 어떡합니까?

미자

> 뭘요?

칠규

> 아니, 금방 끼셨잖아요.

미자

> 제가 뭘 꼈다는 거예요?
> 나 참, 별꼴을 다 보겠네.

칠규

아니, 냄새가 나잖아요?
안 나세요?

미자

무슨 냄새 말이에요?
나 참 오래 살다 보니 별
떨거지 같은 경우를 다 보겠네.

칠규

아니, 척 보니 그다지 오래
살지도 않은 것 같은데….
이런 밀폐된 공간에서 그렇게
마구잡이로 독가스를
발사하시면….
그런 건 결례라는 겁니다.

미자

결례인지 걸레인지는 모르겠고.

아무튼, 제가 껐다는 증거가
있어요? 네?

칠규

아하, 참. 아니 여기 지금
우리 단둘뿐이데 그럼 뭐
귀신이 껐다는 겁니까?

미자

아니, 그러는 본인은 안 껐다는
확증이라도 있으세요?

칠규

아하, 참. 아니 제가 껐으면
모른척하지 제가 떠벌리겠어요?

미자

여보세요. 방귀 뀐 놈이 성낸다는
어마무시하게 교훈적인

속담도 못 들어보셨나?
바로 댁 같은 분을 일컫는
말이네요.

칠규

어휴, 말을 말아야지….
제가 웬만하면 그냥 참으려고
했습니다. 그런데….

미자

그런데?

칠규

하! 완전 시궁창 구석에서
한 십 년쯤 썩은 냄새가 제
오장육부를 이렇게 지금 뒤틀어
놓고 있잖아요.
지금 안 보이세요.
이 괴롭고 고통스러운 표정을.

도대체 뭘 드셨길래 이런 오묘한
조합의 악취 아로마가
생성되는 겁니까?

미자

아니, 근데 이 남자가….
남이야 취두부에 낫또 바르고
블로뉴 치즈 얹어 홍어를 안주
삼아 수르스트뢰밍 샌드위치로
입가심을 하고
디저트로 두리안을 먹었든 말든
그게 댁하고 무슨 상관이란
말이에요?
참, 나 기가 막히고 코가
막혀서….

칠규

아하! 이제 본인이 낀 거는
인정한다는 거군요?

코가 막혀서니 정작 본인의
냄새도 못 맡았을 거고….

미자

여보세요. 총은 쏘라고 있는 거고
똥꼬는 끼라고 있는 겁니다.
아시겠어요. 가스 방출구.
고귀하고 소중한 생명 유지 장치
랍니다.

칠규

에구, 아무튼 감사합니다.
인정해주셔서.
근데 혹시 몇 호에 사세요?

미자

그건 왜요? 뭐 검찰에
고발이라도 하시게요?

칠규

아, 아니, 그냥 제가 영화
초대권이 있어서….

미자

됐네요. 댁 같은 과민성 비염
군과 밀폐된 공간에서의
데이트는 절대 사양입니다.
그럼…. 이만.

미자가 내리고 칠규도 따라 내린다.

2. 복도 _ 낮

미자 뒤에 칠규가 따라간다.

미자

아니, 근데 왜 자꾸 절
따라오세요?

반려동물이 스컹크고 취미가
스토커예요?

칠규

무슨 그런 악담을?
집에 가는 길입니다.

미자

아하! 그러시구나.
실례지만 몇 호이신가요?

칠규

2111호입니다.
어제 이사 왔습니다.

미자

어휴! 썩 유쾌하지 않은
이웃사촌의 환영 인사였네요.
아무튼, 반갑습니다.

옆에 사시는 무척이나
후각이 예민하신 아저씨.

칠규

저 아직 총각입니다.
보기와 달리.

미자

네 다행이네요. 아무튼, 혹시 또
모르니 방독면 하나 사두세요.
그럼….

미자가 문을 열고 들어가려다 돌아선다.

미자

아! 그런데 그 제목이 뭐예요?

칠규

무슨 제목?

미자

그 초대권.

칠규

아하! 기생충입니다.
봉 감독이 만든….

진정한 예술가 서태지

내 이름은 서태지. 올해 스물아홉. 물론 당연히 세상에서 가장 소중하고 가치 있으며 사뭇 중요하기까지 한, 나를 잉태하신 어머니는 서태지 팬이었다. 비록 하룻밤 불장난으로 치부할 수도 있겠지만, 내 아버지라는 작자는, 고귀한 국방의 의무를 수료함과 동시에 흔적을 남기지 않는 완벽한 빤스런을 시행하여, 외가 혈족의 공분을 삼과 동시에, 청순가련함의 그 자체를 구현하셨던 어머니에게 미혼모라는 주홍글씨를 남기셨다. 하지만 그분의 우수한 허우대를 구성하셨던 DNA를 온전히 물려받은 나는, 흐르는 세월 속에 세포의 정상적 분화와 발달이 골고루 잘 형성되며, 종국에는 사랑의 샘에 풍덩 빠진 듯, 자고 나면 넘쳐나는 매력덩어리를 골고루 철철 흘리고 다녔으니, 그 향에 취한 파리들이 어찌 꼬이지 않을 수 있었겠는가?

그 절정의 순간은 내 고등학교 졸업식이었다. 좋고 나쁘고를 가리지 않고 대학에 찰거머리처럼 떡떡 붙은 내 친구들의 의기양양하지만 소박한 모습의 졸업식 후 행사에 반해, 지난 3년 동안 줄곧 밑에서 전교 1등을 한 나는, 대학 응시조차 꼰대 같은 담임에게 거부당한 상태였지만, 나의 사회 출정식을 사무치게 반가워하던, 미자 숙자 은혜 광자 혜숙 인해 혜교 도연이가 저마다의 경제적 능력에 맞춘 수려한 꽃다발을 내게 안기니, 이 놀라운 장면을 예의주시하던 많은 학부모의 가슴에는 다음과 같은 의구심이 맺히지 않을 수가 없었다.

'쟤는 서울대 법대라도 들어간거?'

아무튼 장대한 꿈을 안고 우리 사회의 판도라 상자를 속히 열고 싶었던 나는, 다음날 병무청을 방문하여 성스러운 병역의무를 조속히 결행하여 신속하게 마무리를 하였으니, 이름하여 사회복무요원. 이를 본 동기들은 시샘이라도 하듯, 똥 방위라고 빈정댔지만, 어디까지나 대한민국의 잘난 청년으로서의 자긍심을 한껏 북돋워 줄 훌륭한 보직을 배당받았으니, 동부공원 녹지사업소 소속 개나리 공원 관리사무소 근무. 나는, 매일 정확한 시간에 산책한 것으로 유명한 독일 철학자 칸트처럼, 빈틈없는 시간에 아리따운 개나리 공원 산책길을 고귀한 사색의 문으로 여기고 주변의 정리 정돈과 청결 유지를, 깨달음을 수행하는 비구니처럼 청아한 마음으로 수행하였으니, 이를 감탄과 탄복의 시선으로 보시던 동부 공원녹지사업소 소장님의 마음 한구석 저 깊은 곳에서 울려 퍼지는 울림을 그분이 어찌 듣지 않을 수 있었겠는가?

'쟤는 진정으로 청소를 예술로 승화시킨겨!'

아무튼 가치 있는 하루를 소중하게 사용한 복무기간이 훈훈한 결말로 마무리됨으로써 (소장님은 내게 눈물까지 보이셨으니….) 나는 이제 페가수스처럼 날개를 달고 훨훨 이 사회의 정점으로 향해가는 고졸 성공 신화를 매일 같이 상상하며, 규모의 크고 작음에 상관없이, 분위기의 살벌함에 개의치 않고, 총성 없는 전쟁터, 바야흐로 영업사원에 이력서를 들쑤시고 다니기 시작했다. 날이며 날마다 나는 뽀얀 담배 연기 속에 자신의 아름다운 판타지 세상을 흠집 내는 악당들을 때려잡기에 여념이 없으신 피시방 고객분의 뒤통수를 바라보며, 알바 이력 한 줄 없이 깨끗하다 못해 삭막하기까지 한 내 소중한 이력서를 취업 포털 사이트에서 닥치는 대로 지원하였으니, 어느 순간 내가 보낸 이력서 개수가 적게 잡아도 우리나라 기업 수 총개만큼 되었을 때쯤, 강원랜드 건물 끄트머리가 간신히 보이는 어느 한적하기 그지없는 회사 겸 공장에서 연락이 왔으니, 이 감격을 어찌 나 혼자 삭히고 앉아 있을 수 있었겠나? 내 소중한 보석 같은 미자 숙자 은혜 광자 혜숙 인해 혜교 도연에게 자랑스러운 대한민국 미남 서태지의 면접 사실을 전하고, 그녀들이 광속으로 내게 보낸 하트 이모티콘을 훈장 삼아, 나는 그날로 동부 시외터미널 6번 라인에서, 막 뽑은 듯 삐까번쩍하는 대형 버스를 타고 강원랜드로 고고.

나는 당당하게 면접관에게 자부심을 듬뿍 담은 눈길로 이렇게 외쳤다.

"두고 보십시오! 꼭 세계적인 회사로 키우겠습니다. 사장님."

이에 감복한 사장님은 그날로 내게, 잉크 자국도 채

마르지 않은 취업 계약서에 굵고 빨간 도장을 꾹 찍으시고 나의 엄지손가락에 빨간 칠을 하여 도장 옆에 골고루 손가락을 돌려가며 지장을 바르셨으니 서태지 인생의 봄날은 이렇게 화려한 개화를 꿈꾸게 되었도다!

일주일간의 현장 실습을 명받고 사무실에서 열여섯 발자국 옆에 있는 공장으로 달려 가 보니 창고를 가득 메우고 있는 탐스럽기 그지없는 까만 연탄들…. 나는 하얀 면장갑이 까맣게 변색하는 감동으로 다가올 때까지 굵고 짠 땀방울을 혓바닥으로 날름날름 음미해가며, 다들 힘들다고 하는 입사 첫날을 성공적으로 통과하였으니, 어느새 나의 늠름한 현장 모습에 반한 사장님과 사장님 아내이자 부장이신 고 여사께서는 이구동성으로 과한 칭찬을 마다하지 않으셨다.

"연탄 배달을 예술로 승화시킨겨!"

어느새 창공을 수식하던 새들도 짝을 찾아 떠나고, 저 지평선 너머 산 끄트머리에 겨우 매달린 햇살은 고단한 하루를 마무리하려는 듯, 한잔 걸치고 뻘겋게 달아올랐으니, 무던한 표정의 사장님이 손수 내 침소를 안내하는 수고로움을 실천하시니 나로서는 그저 이렇게밖에 인정하지 않을 수 없었다.

'정말이지 인복 하나는 타고 난겨!'

숙소는 생각보다 좁고 지저분하고 물은 흐리멍덩한 황톳빛이요 창은 더럽고 바닥은 냉방이었지만, 이 모든 편의 시설이 자애로우신 사장님이 하사하신 공짜 방인지라, 나는 그저 감지덕지하며 선량한 마음을 쏟아 기도하니 부디 만수무강하옵소서 우리 멋진 사장님!

하니은 매화

전설

 오래전 멀고 먼 은하계의 한 변방. 코딱지만 한 혹성에 고급 두뇌의 외계인을 담은 미확인 비행체가 불시착했습니다. 탑승객은 모두 죽고 하나가 살아남았습니다. 그는 그곳에 사는 원시 부족 중 가장 어여쁜 여자 원주민을 적극적으로 유혹하여 다섯 아들을 연달아 낳았습니다. 하지만 전통 풍습에 따라, 아들이 성인이 될 때까지 이름을 정할 수 없었습니다.

 그로부터 18년 후, 마침내 막내가 성인이 되고서야 비로소 형제들에게 이름이 부여되고, 장남을 제외한 네 명의 형제는 자유의지에 따라 동서남북으로 흩어졌습니다.

 중앙의 작은 땅에 머문 첫째는 코가 크다고 하여 <코큰아>, 동쪽으로 간 둘째는 늘 욕심이 많아 언제나 첫 번째만 고집하였으므로 <일번>, 남쪽으로 간 셋째는, 늘

어머니 차를 훔쳐 타고 돌아다니기를 좋아하여 <어머니카>, 서쪽으로 간 넷째는 항상 여자 꽁무니만 쫓아다니지만, 워낙 못생겨서 차이기만 한다고 하여 <차인아>, 북쪽으로 간 막내는 늘 부아가 난 상태로, 뭐가 못마땅한지 화만 내며 동네 애들에게 행패를 부려 <부아>라고 명명하였습니다. 그리고 그들은 후에 각자의 이름으로 된 왕국을 건설했습니다.

그로부터 오랜 세월이 흘렀습니다. 코큰아의 자손들은 워낙 성실하고 똑똑하여 세상의 음주·가무와 오락 산업을 석권했습니다. 반면 늘 탐욕스럽던 일번은 쓸데없이 어머니카 땅을 침범했다가 크게 두 방 두들겨 맞고 찍 소리 못하는 신세가 되었습니다. 어머니카는 어중이떠중이를 다 받아들여 한때 매우 번성하였으나 백성들이 총과 약을 좋아하는 바람에 바람 잘 날 없이 시끄럽기만 하였습니다. 한편 차인아의 남정네들은 워낙 여자를 밝히다 보니 자손들이 기하급수적으로 불어나 가뜩이나 좁은 땅에 발 디딜 틈이 없게 되었습니다. 하지만 가장 불쌍한 왕국은 부아였습니다. 허구한 날 이웃 나라와 싸움이나 하고 나쁜 무기나 만들고 해킹이나 하다 보니 백성은 늘 굶주림에 시달렸습니다. 이를 불쌍히 여긴 코큰아의 국왕이 쌀도 주고 소도 주고 돈도 주었지만 밑 빠진 독에 물 붓기였습니다.

폭탄선언

한편, 코큰아 왕국에는 하쿠나 마타타 공주가 살았습니다. 그녀는 무척 이뻤습니다. 오똑한 콧날, 무지갯빛 안구, 백옥같은 피부, 솜털 같은 머릿결, 우아한 미소, 번쩍이는 이빨, 뽀송한 볼, 쭉 빠진 몸매, 탄력 있는 가슴, 비단결 같은 손바닥…. 정말이지 누가 봐도 한순간에 사랑에 빠지게 되는 그런 마력을 지닌 여인이었습니다.

게다가 무척 똑똑했습니다. 고대어인 산스크리트어, 선비어, 아카드어, 엘람어, 우라르투어, 코이네 그리스어, 탐라어를 능수 능란하게 구사하였으며, 13개 현대어를 자유자재로 통·번역하였습니다. 그리고 사학, 사회학, 지리학, 교육학, 경영학, 수학, 물리학, 화학, 생명학, 환경학, 천체학, 기계학, 재료학, 생명학, 전기학, 전자학, 컴퓨터학, 토목학, 산업학, 심리학, 의학, 약학에도 조예가 깊었습니다.

하지만 그녀가 정말 좋아하는 학문은 철학이었습니다. 공주는 고대 그리스 철학부터 중세 철학, 근대 철학, 현대 철학에 이르기까지 다양한 철학과 사상에 심취하였습니다.

그러던 어느 날, 공주의 성인식이 성대하게 이루어졌습니다. 코큰아 나라의 국왕인 핸무너 마타타 7세는 유일한 혈족인 하쿠나 공주가 이제 성인이 되었으므로, 국정에 적극적으로 참여하기를 원하였습니다. 그런데 그녀의 입에서 날벼락 같은 선언이 나오고 말았습니다.

그녀는 강단의 한가운데에 서서 마이크에 대고 다음과 같이 말했습니다.

"친애하는 국왕과 대신, 그리고 국민 여러분. 저는 제 삶과 철학을 톺아 보는 장대한 결심을 이 자리에서 하고자 합니다. 저는 여전히 어리석고 무지하며 앎에 대한 갈증에 고통받고 있습니다. 저는 말 할 수 없는 것에 대해서는 침묵해야 한다고 생각합니다. 그러므로 저는 보름달이 열세 번째 뜨는 날, 무언을 수행하는 수도승이 되어, 참된 진리를 찾을 결심을 하였습니다. 아무쪼록 저의 강단 있는 다짐에 아낌없는 지지를 바라마지 않는 바입니다. 감사합니다."

온 나라가 공주의 폭탄선언에 큰 충격을 받았습니다. 물론 가장 큰 고통은 국왕과 왕비인 체야양모현이었습니다. 곧 긴급 최고 내각 회의가 소집되었습니다. 각 지방의 자치단체장들이 모두 궁궐로 모여들었습니다. 그들은 공주의 마음을 돌릴만한, 저마다의 해결책을 마련하여 제시하였습니다. 그리하여 가장 많은 지지를 받은 정책을 시행하기 시작했습니다.

그것은 결혼 작전이었습니다.

공주가 누군가와 사랑에 빠진다면 자연스레 궁전에 눌러앉게 될 것이라고 그들은 판단했습니다. 즉시, 전 세계 모든 나라의 결혼 적령기에 접어든 총각들에게 문자 메시지가 날아갔습니다. 메시지를 받은 그들의 반응은 폭발적이었습니다. 거의 모든 사람이 청혼하기를 희망하였습니다. 뭐, 이건 누가 봐도 쉽게 예상할 수 있는 일이었습니다.

7년 연속 <시계> 선정 가장 예쁜 여성 1위, 8년 연속 <보고> 선정 가장 섹시한 여성 1위, 9년 연속 <BBB> 선정 가장 지적인 여성 1위, 10년 연속 <선데이 부산> 가장 바람피우고 싶은 여성 1위를 차지한 하쿠나 공주가 아니겠습니까!

그리하여 국왕 특별령 제 8777호 798항에 의거하여, <마타타 공주 결혼 추진 위원회>가 발족하고, 결혼 후보자 9,999명에 대한 검증 작업이 들어갔습니다. 시간이 촉박한 관계로, 위원들은 밤낮을 가리지 않고 후보자 추리기를 하여, 마침내 7명으로 압축을 하였습니다. 위원장은 이 명단을 들고 공주를 방문하였습니다. 그녀는 궁전에서 가장 높은 탑에 기거하였습니다. 그녀는 그곳에서 늘 독서와 명상을 하며 진리를 탐구하고 있었습니다.

공주의 질문

명단을 받아 본 공주는 위원장인 하동포르떼 백작에게 호기심을 품은 표정으로 물었습니다.

어떤 기준으로 뽑았나요? 존경하는 위원장님.

그들의 신분, 명성, 재력, 금력, 학벌, 주변인의 평판, 조상, 인물, 국제관계, 의지 등을 고려하였습니다. 공주마마.

모두 부질없는 기준입니다. 위원장님.

그럼 어떤 기준으로 할까요?

내면의 아름다움입니다.

하지만….

백작은 당혹스러웠습니다.

하지만 공무마마. 어떻게 내면의 아름다움을 평가할 수 있겠습니까?

모두에게 전달하시기 바랍니다. 자신의 이야기를 적어 보내 주세요. 그러면 그중에서 제가 직접 뽑도록 하겠습니다.

백작은 공주의 요청에 무척 만족하며 돌아갔습니다. 왜냐하면 그녀가 처음으로 남자와 데이트하겠다는 의지를 내비쳤기 때문입니다. 이 말은 전해 들은 국왕과 왕비, 대신들은 모두 쌍수를 들고 기뻐했습니다. 하지만 그렇지 않은 여인이 있었습니다.

제리 후궁

그녀는 다름 아닌 왕의 13번째 후궁이었습니다. 그녀의 이름은 제리 아뿔싸. 하지만 그녀의 원래 이름은 빙신이었습니다. 탐욕스러운 집안의 셋째딸로 태어난 그녀는 성인이 되자 마법사의 유혹에 넘어가 제리라는 이름으로 개명을 하고, 돈을 버는 족족 압구정 유명 성형외과에 부지런히 돈을 갖다 바쳐 마침내 요염한 얼굴로 변신할 수 있었습니다. 그리고 그것을 무기로 왕궁의 시녀가 되어 마법사에게서 배운 <유혹하기>로 마침내 국왕의 하해와 같은 은혜를 받았습니다. 하지만 그녀는 무척 탐욕스러웠으므로 후궁에 도저히 만족할 수가 없었습니다.

그녀는 수도 경비를 담당하는 내금위 대장인 텐스톤을 은밀히 유혹하여 부적절한 관계를 맺고는 호시탐탐 왕비와 공주를 제거할 계략을 꾸미고 있었습니다.

미어킷 왕자

마침내 하쿠나 공주는 한 사람을 지목했습니다. 그는 큰 바다 너머 큰 섬인 <마다카스> 나라의 <티몬> 국왕의 33번째 아들인 <미어킷> 왕자였습니다. 그는 하버드 조경학과를 졸업하고, <구름>이라는 검색 전문 회사를 창업하여 억만장자가 된 자로, 공주의 유학 시절, 첫눈에 반하여 스토커로 오해까지 받을 정도였습니다. 일각에서는 공주의 일거수일투족을 감시할 방법을 연구하다가 검색엔진을 개발하게 되었다는 소문이 돌기도 하였습니다.

그는 9889년 4월 26일, 마다카스 라퀴타 제국의 수도 하드렌에서   티몬(9847~9993)과   디구디나디(9850~9946) 모리볼로의 여덟 자녀 중 막내로 태어났습니다. 어머니의 태몽은 이러했습니다. 짙은 강에 유유히 가던 보트가 커다란 코끼리를 물에 빠트렸습니다. 하지만 보트는 얼마 못 가 주저앉고 말았습니다. 상아로

채워진 댐이 배를 가로막았기 때문입니다. 아버지의 태몽은 좀 더 이상했습니다. 푸른 하늘 아래 더 없이 펼쳐진 옥수수밭을 절반으로 가르는 거대한 물체가 나타나 아버지를 흡수하여 배를 가르고 앙증맞은 인형을 꺼냈습니다.

어머니는 아우스트리아에서 로봇 산업을 이끌던 AI 거물 중 하나로, 혜국인이었으나 후에 산마르로 개종하였습니다. 산마르는 인간의 집단적 광기에 기초한, 기계로 접목할 수 있는 모든 시멘틱 디코더(의미 해독기)를 거부하고, 초월로 향하는 단순한 삶을 지향하였습니다. 혜타구로가 인간 고통사의 굵은 상처를 새긴 자로 회자하는 것처럼, 그의 어머니는 인공 지능의 정신적 고양과 선한 지성을 주도한 인물로 널리 알려졌습니다.

미어킷은 키가 작고 매우 수수한 외모를 가진 왕자입니다. 하지만 그의 미소는 백성들에게 화목함과 평화를 불러왔습니다. 또한, 그는 예술과 음악에 관심이 많았습니다. 그는 훈련된 용맹함과 우아한 말씨를 가졌습니다.

그는 활동적이고 운동을 좋아하여 축구를 즐겼습니다. 또한, 그는 경영 관련 지식과 뛰어난 전략적 사고력을 가지고 있습니다.

그는 정직하고 따뜻한 성격의 왕자입니다. 그는 정의로운 마음가짐과 사회적 책임감이 강해 사회적 문제에 대한 해결책을 찾는 데 열정적입니다. 그는 재치 있고 유머 감각이 뛰어나며 사람들을 웃게 만드는 왕자입니다. 그는 능수능란한 입담으로 모두를 편안하게 만들며, 사회적인 모임에서 주목을 받습니다. 또한, 그는 예술과 문학에 관심이 많아 다양한 예술 작품을 감상합니다. 또한, 그는 과학과 기술에 대한 지식이 풍부하며 혁신적인 아이디어를 제시합니다. 그는 음악에 관심이 많아 자주 악기를 연주하며, 창의적인 작곡을 즐깁니다. 그는 매력적이고 카리스마 있는 왕자입니다.

그는 외교적인 능력과 협상 능력이 뛰어나므로 정치적인 문제를 해결하는 데 탁월합니다. 그는 우정과 신뢰를 소중히 여기는 왕자입니다. 그는 정직하고 믿음직한 성격으로 알려져 있으며, 사람들을 위해 언제나 힘써줍니다. 또한, 그는 동물과 자연을 사랑하며, 환경 보호와 동물 복지에 관심을 두고 있습니다. 그의 어두운 갈색 머리카락은 정돈되어 있으며, 선하고 차분한 눈에는 지혜와 인내가 빛나고 있습니다. 그는 주변 사람들을 존중하고 돕는 데 관심을 기울이며, 다른 사람들의 의견을 경청합니다. 이러한 특징은 그의 사랑과 관심이 넘치는 성격을 보여줍니다.

만남

왕자에게는 곧바로 <마타타 공주 1일 연애권>, <싱그러운 항공 일등석 항공권>, <백제 호텔 VVIP 룸 숙박권>, <매리 호텔 미쉐린 쉐프 컬렉션 뷔페 항상 이용권>, <아프리카 익스프레스 블랙 신용카드> 등이 보내졌습니다. 하지만 그는 공항에 도착하자마자, 밥도 안 먹고 곧바로 <마타타 공주 1일 연애권>을 행사했습니다.

<마타타 공주 1일 연애권>은 공개 미팅 30분과 비공개 미팅 2시간으로 구성이 되었습니다. 미어킷 왕자는 제4 궁전 영빈 1 별관, 외국인 전용 접견실에 마련된 미팅 장소에, 이른 시간에 도착하여, 초조하게 그녀를 기다렸습니다. 물론 각국에서 온 수많은 특파원도 기다리기는 마찬가지였습니다. 이윽고 시간이 되자 공주가 우아한 표정으로 나타났습니다. 왕자는 황홀한 표정으로 공주를 쳐다봤습니다. 동시에 엄청난 카메라 후레쉬가 터

졌습니다. 간단한 인사가 이어지고 모든 관계자가 물러나자 공주가 첫 질문을 하였습니다.

"사랑은 무엇입니까?"

"사랑은 끌림입니다." 왕자는 떨리는 가슴을 진정하며 차분하게 답변하였습니다. 그러자 공주는 다시 물었습니다.

"그렇다면 그 끌림을 당신은 저에게서 느끼시나요?"

"끌림이 없었다면 애써 이 자리에 오지도 않았을뿐더러, 그 끌림의 절정을 마주한 지금, 저는 형언할 수 없는 사랑을 만끽하고 있습니다." 왕자는 자신의 답변에 만족한 듯, 기쁜 표정으로 공주의 아리따운 눈을 응시했습니다.

"그렇다면 그 끌림의 절정이 혹시, 오십 년도 안 되어 썩어 문드러질 저의 껍데기에 현혹된, 착각의 다른 표현이지 않을까요?" 공주는 눈 하나 깜짝이지 않고 되받아 물었다.

"저의 끌림이 당신의 미모에 대한 현혹 혹은 착각일지라도, 그건 수만 년을 이어져 온 인간의 유전적 특성에 기인하는바, 밴댕이의 눈에는 그들만의 보편타당한 미의 기준이 있을 것이요, 오랑우탄의 눈에도 역시 통용되는 아름다움의 잣대가 존재하는 법입니다. 사람의 끌림에는, 생물학적으로는 자기 유전자를 후대에 전달하고자 하는, 근본적 삶의 목적이 담겨있습니다. 즉, 인간은 DNA라는 실체의 수단에 불과합니다." 왕자도 당당하게 답을 했다.

"그럼 왕자님은 본능을 초월하는 정신적 고상함을 겪어보시지는 않았나요?" 공주의 질문에 왕자는 바로 답을 했다.

"지금 경험하고 있습니다. 바로 본능을 뛰어넘는 정신적 갈망을… 공주님."

"우리가 처음 만난 지 겨우 1분 만에 말입니까? 왕자님."

"어떤 사랑은 불과 1초 만에 또 어떤 사랑은 100년이 걸리기도 합니다. 사랑은, 실체가 변덕스럽고 변화무쌍하며, 진단을 내리기도 정의를 규정하기도 어려울 뿐 아니라, 추측이나 예측도 거부하기 마련입니다. 공주님." 왕자는 어깨를 으쓱거리며, 자신의 논리에 만족스러운 표정을 지었다.

"그럼 왕자님은 저를 본 순간에 바로 이게 진정한 사랑이라는 확신을 하신 건가요?"

"네, 그렇습니다. 공주님. 저는 이에 관해 이야기를 하나 들려드리도록 하겠습니다. 제 나라에서 일어난 실제 사건입니다. 비록 수십 년 전이지만, 저는 사랑을 느낄 때면 그를 떠올리곤 하였습니다. 지금도 그래서 생각이 난 거고요."

미어킷 왕자의 나라 마다카스는 7개의 크고 작은 섬으로 구성된 나라였다. 가장 북쪽의 섬은 <로구호>이고 가장 남쪽의 섬은 <나디다>였다. 로구호 섬에서 나디다 섬까지는 직선으로 12,000km 거리였다. 로구호 섬의 중심 도시는 다이흥이었고, 그곳에는 예전부터 산업과 어업이 발달하여 전통 음식점들이 호황을 누리고 있었다. 반면 나디다 섬은 가난한 어촌이었다. 게다가 가까이에 <필립나노>라는 나라가 있었는데, 국경 분쟁으로 늘 전쟁의 위험이 도사리고 있었다. 로구호 섬과 나디다 섬은 기후도 완전히 달랐다. 북쪽은 일 년에 9개월은 추웠고 남쪽은 반대로 더웠다. 그러므로 두 섬에 자라는 식물은 완전히 다를 수밖에 없었다. 하지만 공교롭게도 모든 섬에 자라는 매화가 있었다. 이 매화는 봄이 되면, 분홍색이 아닌 핏빛 꽃을 피웠다. 사람들은 이 붉은 매화를 <하니은 매화>로 불렀다. 그 사연은 다음과 같다.

다이흥 시에 사는, 25살 청년 <이큰딩>은 실력 있는 쉐프였는데, 어느 날 그가 근무하고 있는 식당에 <하니은>이라는 이름의 여인이 주방 보조로 들어왔다. 그녀의 나이는 32살이었고 고향에 아들을 두고 있었다. 그곳이 나디다 섬이었다. 이큰딩은 하니은을 보자마자 사랑에 빠졌다. 그는 매일 그녀에게 자신이 할 수 있는 모든 정성을 다하여 그녀에게 사랑을 표현했다. 몇 달 뒤, 그의 사랑은 결국 받아들여졌고 그들은 동거하였다. 그리고 그녀의 외아들을 초청했다. 그런데 전쟁이 터졌다. 그리고 아들과의 연락마저 끊어져 버렸다.

하니은은 아들을 찾기 위하여 남으로 내려갔다. 하지만 얼마 안 가 하니은의 소식도 끊어졌다. 이큰딩은 그때부터 온 나라를 돌아다니며 그녀를 찾았다. 그는 하니은의 초상화를 매일 밤 수십 장씩 그려 사람들이 있는 곳이면 어디든지 붙였다. 그렇게 십수 년을 그는 떠돌아다니다가 어느 날 홀연히 사라졌다. 그리고 한 달 뒤, 해변에 두 구의 시체가 발견되었다. 누군가 그들을 떼어놓으려고 하였지만 절대 떨어지지 않았다. 그리고 그때부터 하니은의 초상화가 있던 자리에는 붉디붉은 매화가 자라났다.

이 이야기를 들은 하쿠나 마타타 공주는 눈시울이 붉어졌습니다.

하니은 매화를 보고 싶습니다. 왕자님.

그리하여 공주와 왕자는 마다카스로 같이 떠났습니다. 코큰아의 백성들은 이 소식을 듣고 모두 기쁨으로 충만하여 거리로 나와 축제를 벌였습니다. 하지만 공주가 없는 틈을 타 제리 후궁은 내금위 대장과 결탁하여 쿠데타를 일으켰습니다. 국왕을 비롯한 나라의 모든 대신을 감금한 제리는 텐스톤 내금위 대장을 국가 비상 대책위원장으로 임명하고 본인은 스스로 여왕이 되었습니다. 그리고 공주와 왕자의 암살을 지시했습니다.

옆행성

하쿠나 마타타 공주와 미어킷 왕자는, 하는 수 없이 그들을 따르는 소수의 신하와 함께 나로호와 승리호에 각각 나누어 타고 옆행성으로 피신을 하였습니다. 하지만 그곳은 그들이 살기에 너무 가혹한 환경이었습니다. 대기는 대부분 이산화탄소로 이루어져 산소가 턱없이 부족했습니다. 그리고 매우 추웠습니다. 평균 온도가 마이너스 80도에 가까웠습니다. 게다가 표면은 강력한 자외선과 코스믹 선량을 받아 보호 장비 없이는 외출하기가 힘들었습니다. 옆행성은 물도 귀했습니다. 하지만 이 모든 어려움에도 불구하고 그들은 뜨거운 사랑으로 똘똘 뭉쳐 멋진 사회를 이루어내었습니다.

이 나라는 평등과 정의를 중시하는 철학적 기반 위에 세웠습니다. 모든 시민은 윤리적 가치와 도덕적 원칙을 존중하고 실천했습니다. 법률은 도덕적 원칙을 반영하며,

교육과 문화는 윤리와 도덕을 강조하고 확장하였습니다. 모든 시민은 동등한 기회를 얻으며, 부의 불평등을 최소화하기 위한 사회적 재분배 메커니즘을 갖추고 있습니다. 정치체제는 포용적이며 시민들의 다양한 의견을 존중하고 포용했습니다. 모든 시민은 무료로 고급 교육에 접근할 수 있으며, 지식의 확산과 교육의 역할을 통해 시민들이 더 나은 판단력과 통찰력을 갖출 수 있도록 국가가 지원하였습니다. 자연환경을 보호하고 존중하기 위해 노력하며, 지속 가능한 에너지와 생산 방식을 채택했습니다. 그리고 환경 오염과 파괴로부터 보호하고, 생태계와 생물다양성을 유지하려고 모든 시민이 노력했습니다.

마침내 철학적 유토피아 사회로써 가장 이상적인 국가가 현실적으로 완벽하게 실현되었습니다.

반면, 제리 여왕이 통치하는 코큰아는 점점 가라앉기 시작했습니다.

최상위 소득 계층의 부의 증가가 다른 계층보다 더 빠르게 증가하였습니다. 이로 인해 중산층과 하층 계층 사이의 소득 격차가 커지고, 계층 간의 불만이 극도로 팽배했습니다. 게다가 정치적 갈등까지 겹쳐 사회적 분열이 더욱 심하였습니다. 거리에는 불법 약물이 판을 치고 총기 사고가 매일같이 벌어졌습니다. 환경 파괴, 기후 변화 및 자원 고갈도 심해져만 갔습니다. 수시로 금융위기가 찾아왔고 노동자들은 거리로 내몰렸습니다. 그런데도 겉치레에만 과도하게 집중하는 과소비가 팽배하여 백성들은 점점 피폐해져만 갔습니다.

전쟁

이러한 혼란을 옆 나라들이 가만두고 보지는 않았습니다. 탐욕스러운 일번이 먼저 집적거리기 시작하더니 어느새 부아가 차인아와 손잡고 코큰아를 넘보기 시작했습니다. 그러자 어머니카는 일번과 결탁하여 노골적으로 야욕을 드러냈습니다. 결국 두 패로 나뉜 그들은 코큰아에서 큰 전쟁을 시작했습니다. 제리 여왕은 가장 먼저 도망을 쳤습니다. 하지만 성난 백성들에게 곧바로 잡혀 거리에서 신나게 두들겨 맞고 죽었습니다. 전쟁은 수년간 지속되었습니다. 코큰아의 백성들 대부분은 옆행성으로 떠났습니다. 결국 코큰아는 코딱지만 한 혹성에서 가장 먼저 사라지는 왕국이 되었습니다. 하지만 얼마 지나지 않아 부아, 일번, 어머니카, 차인아도 모두 사라졌습니다. 결국 오랜 전쟁과 극심한 환경 오염으로 생명체가 사라진 죽은 행성이 되었습니다.

반면, 하쿠나 마타타 공주와 미어킷 왕자가 옆행성에 건설한 국가는 수만 년 동안 번창하였습니다. 그들이 세운 국가명은 <하니은>입니다.

하트

겨울의 해는 금방 떨어졌다. 하트는 시간을 확인했다. 오후 4시 13분. 4분 후면 하르겐역에 도착한다. 그는 선반에 올려진 검은 가방을 눈으로 확인했다. 그리고 휴대폰에서 맵을 들여다봤다. 두 개의 점이 반짝인다. 그리고 그 점을 연결하는 고불고불한 녹색 선이 선명하다. 점하나는 자신, 나머지는 타겟의 위치다. 기차가 점점 목적지로 가고 있는 것을 최종적으로 확인한 그는 휴대폰의 버튼을 꾹 눌러 전원을 끄고 안주머니에 넣었다. 여기서부터 모든 그의 행적은 남지 않을 것이다. 그는 한숨을 쉬고 천천히 주변을 다시 한번 살폈다. 습관적으로 그의 안구는 쉴 새 없이 움직이며 특이점 여부를 조사하기 시작한다.

눈에 띄게, 텅 빈 좌석이 많이 늘어났다. 종점이 가까워진 것이다. 승객은 띄엄띄엄 앉아 있다. 젊은이와 늙은이, 남자와 여자가 평범한 차림으로, 눈을 감거나 각자의 휴대폰을 들여다보고 있다. 창밖을 보거나 하트와 눈을 마주치는 이는 없다. 그저 맞은편, 두 명의 할머니만 킬킬거리며 떠들고 있다. 그는 주변 관찰을 끝내고, 작은 별빛이 반사하는 창을 무심히 쳐다봤다. 그 순간, 안내 방송이 흘렀다.

"저희 열차는 곧 하르겐역에 도착합니다."

짧은 메시지가 여러번 반복하였다. 그리고 기차는 눈에 띄게 느려졌다. 그는 길게 한숨을 쉬며 일어나 선반에서 그의 가방을 내렸다. 다른 승객들은 아무도 움직이지 않았다. 다만 복도 끝자리에 있던 한 청년만 몸을 일으켰다. 하트는 잠시 그를 쳐다보고 다시 창가로 눈을 돌렸다. 그런데 그 순간, 검은 창에 붉은 광선들이 어지럽게 반사되는 것을 하트는 순간적으로 파악했다.

'이런 시팔!'

그는 급하게 그의 가방을 창에 갖다 대면서 몸을 의자 밑으로 수그렸다. 굉음과 함께 창들이 삽시간에 박살이 났다. 유리 조각들이 사방으로 튀어 오르고 승객들의 비명이 뒤를 이었다. 그는 날아드는 유리 파편들을 가방으로 막으며, 가슴 왼쪽 겨드랑이 쪽에 꽂아둔 권총을 끄집어내 안전 버튼을 해제한 뒤 주머니에 넣었다. 그리고 최대한 빠르게 바닥을 엉금엉금 기며 출구 쪽으로 나갔다. 그런데 그곳에 그를 노려보고 있는 이가 있었다. 바로 그 청년이었다. 그는 왼손에 든 소구경 권총을 하트에게 겨누었다. 하지만 그 순간 기차가 급정거를 했다. 그는 비틀거리며 총을 발사했다. 그가 쏜 총알은 하트의 머리를 크게 벗어나 천장에 박혔다.

하트는 그에게 가방을 던지며 달려들었다. 그들은 좁은 복도에서 뒤엉키며 삽시간에 육박전이 펼쳐졌다. 하지만 그 청년은 하트의 상대가 되지 못했다. 백 초크를 잡힌 그는 몇 번 버둥거리더니 이내 실신하고 말았다. 청년이 숨을 거둔 것을 확인한 그는 곧바로 그의 주머니를 샅샅이 뒤졌다. 하지만 아무것도 없었다.

'젠장!'

하트는 다시 엉금엉금 기어 출구 손잡이를 잡아당겼다.

그 순간이었다.

"제발 나 좀 살려주게!"

돌아보니 할머니였다. 그녀는 얼굴에 온통 붉은 피를 뒤집어쓴 채 하트를 애처롭게 바라보며 꿈틀거렸다.

"시팔!"

하트는 입으로 욕지거리를 내뱉으며 어쩔 수 없이 그녀에게로 다가갔다. 그리고 그녀의 손을 잡으려는 순간, 따끔거리는 통증을 느꼈다. 하트는 갑자기 극심한 공포를 느끼며 뒤로 물러났다.

"다 당신은?"

"미안하네, 젊은이."

하트는 느꼈다. 그의 몸이 점점 뻣뻣해지고 굳어지는

것을. 입과 코, 눈에서 핏물이 흘러내렸다. 그리고 정신
이 혼몽해지기 시작했다.

****

하트는 고통 속에 눈을 떴다. 그리고 한동안 실망한
표정으로 방에 누워 있었다. 자신이 한탄스러웠다.

'바보같이 할머니에게 당하다니….'

그때, 소녀가 방문을 빼꼼 열고 그에게 외쳤다.

"아빠! 엄마가 게임 그만하고 밥 먹으러 오래!"

제니로 알려진 노금희

친애하는 검사님.

우선, 당신의 소환에 불응한 점에 대해 깊은 사과를 드립니다. 하지만 저의 행동이, 당신이 부여한 여러 가지 조치에 대한, 불만에서 비롯한 반항이거나 혹은 제가 끔찍이도 싫어하는, 권력이라는 환각에 빠져, 당신을 무시하는 것은 절대 아님을 알아주시기를 바랍니다. 제가 행한 결단의 이면에는, 제 삶의 전반을 아우르는 사건과 사고가 우연히 내던져진 결과로서의 혼란에 기인한다는 점을 분명히 밝히고자 합니다. 그러므로 저는 단지 매듭을 짓고 마무리를 할 수 있는 시간이 좀 더 필요할 뿐입니다. 법을 어길 생각은 추호도 없으며 때가 되면 자진하여 찾도록 할 것입니다. 어쩌면 제가 드리는 이 편지가 바로 저의 결심이자 검사님께 드리는 약속이라고 부디 편하게 판단하시면 감사하겠습니다.

저는 지금 여러번 기차를 갈아타고 몇 나라를 거쳐 제가 소망하는 목적지에 다다르기 직전에 있습니다. 이곳은 제가 젊음과 열정, 순수함과 광기를 태우던 곳으로,

어쩌면 검사님의 수사 보고서에 적혀 있는 데로, 제가 철학을 공부하던 독일의 중서부 지역의 한 곳입니다. 하지만 저의 편지를 검사님이 받을 때쯤에는, 저는 아마 폴란드를 거쳐 우크라이나 쪽으로 차를 몰고 있을지 모르겠습니다. 아니면 폴란드 국경에서 서성이며 우크라이나에서 불어오는 바람 냄새를 맡고 있을 수도 있습니다. 여전히 전쟁 중이고 국경이 외국인들에게 폐쇄된 상태라면 말입니다.

아마 검사님은 제 여행 루틴에 약간의 의구심이 들 것입니다. 유학을 한 곳이라면 당연히 그때의 설렘과 낭만, 추억을 찾아, 일종의 버킷리스트로 방문함이 타당하지만, 어떤 연고도 없고 게다가 전쟁 중인 우크라이나로 굳이 가려는 의지에는 도대체 어떤 연유가 숨어 있을까 하는 것입니다. 그 이유는 제니아라는 여인 때문입니다.

저는 그녀를 사랑했고 지금도 제 인생 최고의 순간은 그녀와 보낸 3개월이라고 확신을 하고 있습니다. 그녀는 여느 우크라이나 여인과 다름없이, 고향에 두고 온 가족

들을 부양해야만 했기에 무척 힘든 삶을 살았고 앞으로
도 나아질 기미가 전혀 보이지 않는 막다른 인생이었습
니다. 하지만 그녀는 때가 끼지 않은 순수한 사람이었습
니다.

자신이 과하게 받는 것 혹은 동정심에 비롯된 것이라
면 언제나 불편해하고 늘 돌려주는 것에 관심을 가졌습
니다. 그리고 동유럽 여인 특유의 낙관적인 성격으로, 즐
거움을 표하고 아픔을 위로할 줄 알았습니다. 그녀에 대
해서는 며칠 밤낮을 들려드려도 끝나지 않겠지만 저는
여기서 간단하게 줄이도록 하겠습니다. 당연하게도 그녀
는, 지금 검사님이 궁금해하는, 저와 얽힌 사건과 전혀
관련이 없기 때문이기도 하려니와 제 가슴을 누군가에게
표현한다는 자체가 저에게는 무척 부끄러운 일입니다.

다만, 한가지 말씀드릴 수 있는 것은, 오랜 시간 동안
백방으로 찾고는 있지만, 아직 그녀의 생사는 확인이 되
지 않고 있습니다. 그러므로 설령 제가 우크라이나에 가
더라도 그녀를 만날 확률은 극히 희박하다는 것입니다.

그저 그리움이 저를 그곳으로 이끈다고 생각하시면 되겠습니다. 혹은 전설 속 <운명의 붉은 실>처럼, 보이지 않지만 분명 서로에게 묶여 있는 끈을 따라 기적같이 만나는 환상을 꿈꾸는 것인지도 모르겠습니다.

검사님이 궁금해하시는 부분은 저의 또 다른 여인, 제니로 알려진 노금희에 대한 부분일 것입니다. 혹은 노정아, 노애린, 노정심으로 여러번의 개명을 한 바로 그 여인과 제가 어떻게 얽혀서 작금의 상황까지 번지게 되었는가 하는 것일 겁니다. 그동안 언론과 방송, 각종 SNS에서 숱하게 회자한 만큼 - 비록 그 소식들이 사실과 거짓, 상상과 추측들이 마구 섞인 상태지만 - 그녀에 대해서 일반인들이 판단하는 그대로 그녀는 좀 이상했습니다. 그녀를 처음 알게 된 것 또한 이상하였습니다.

유학을 막 끝내고 모 대학에서 시간강사로 철학을 강의하던 시기였습니다. 저는 그때 힌두교와 불교 철학을 거쳐 칸트와 쇼펜하우어에게 심취되어 있었습니다. 쇼펜하우어에 따르면, 우리는 본능적으로 자신의 의지대로

하고 그 이후에 자기 행동을 논리적인 것으로 합리화하는 작업을 한다고 했습니다. 어쩌면 그것을 대표하는 행위가 바로 노금희와의 관계일 것입니다. 그건 검사님도 두말없이 인정하는 부분이 맞습니다.

제 삶은, 유년기의 심한 우울증에서 시작하여 작금에 이르기까지 아직도 치유되지 않은 고통과 불행의 시간이 저를 휘두릅니다. 그러므로 비록 교수라는 신분으로 사회의 일원이 되었지만, 외적인 통제, 즉 법, 도덕, 규율, 양심 같은 행동 양식을 그다지 신경 쓰지 않았고, ‑ 사실 내적인 괴로움으로 다른 것에는 별 관심을 둘 여유가 없었던 것 ‑ 그날 그 자리, 즉 저의 지도교수이자 전 장관이었던 분의 초청으로 고급 술집에 초청받아 갔으며, 제니라는 예명을 사용하는 노금희를 만난 것도 사실입니다.

그녀에 대한 첫 느낌은 한 마디로 깡통이었습니다. 네, 비었다고 하는 게 정확한 표현일 것입니다. 쾌활하나 뭔가 어두운 구석이 있고 예의 바르나 다분히 권력 지향

적이고 예쁘게 꾸몄지만 어딘지 모르게 인위적인 부조화를 느꼈습니다. 하지만 무엇보다 저를 관심 짓게 만든 부분은 그녀의 놀라운 탐욕이었습니다. 나중에 안 사실이지만, 돈과 권력에 대한 욕심은 그녀 집안 전체를 아우르는 지향점이기도 하였습니다.

 아마 이 부분에 있어서 검사님은 의아해하실 것입니다. 삶의 내면적 깊이를 다루는 철학 교수가 어떻게 그런 부류의 인간과 연인이 될 수가 있는 것인지? 정확히 하자면 저는 노금희를 사랑한 적은 한순간도 없습니다. 제가 말씀드렸듯이 저의 사랑은 이미 제니아에서 끝을 맺었습니다. 제가 노금희를 가까이한 이유는 절대적인 호기심이었습니다. 어쩌면 양극단에 존재하는 개체에 대해 끌림이었다고 해도 무방할 것입니다. 또 한 가지를 굳이 들먹이자면 성적 욕구 해소였다고 봐도 될 것입니다.

 저는 틈만 나면 그녀의 아파트에서 육체적 향연과 함께 그녀의 일거수일투족의 가벼움을 끝없이 관찰했습니다. 그녀는, 걸치는 모든 것을 명품으로 발랐고 그녀가 방문하는 모든 곳은 사치와 향락으로 버무리곤 하였습니다. 그녀가 만나는 이들은, 또한 그녀와 똑같은 가볍기 그지없는 깡통 인간들이었습니다. 즉, 정치 검사, 철새 정치인, 사기꾼 사업가, 조폭들이었습니다.

여기서 검사님은 아마 이상한 점 하나를 발견하였을 것입니다. 어떻게 그런 여자가 저와 오랜 시간 얽힐 수 있냐는 것일 겁니다. 그것도 마치 연인처럼…. 그녀와 저를 얽게 만든 것은 다름 아닌 마리화나입니다. 저는 유학 시절 극심한 우울증을 덜기 위해 마리화나에 중독된 상태였습니다. 그리고 그녀도 마찬가지였습니다. 그러므로 우리가 함께한 공통분모는 섹스와 마약이었습니다. 그러므로 제가 그녀의 석, 박사 학위 논문 표절에 가담한 것은 어쩌면 당연한 절차였다고 해도 무방합니다. 정확히 말하자면 그녀의 논문 대부분은 제가 짜깁기해서 만든 것입니다. 그녀가 대학 강단에 서게 한 것도 저의 도움이 컸습니다. 물론 결정적인 것은 - 그녀가 조교수가 될 수 있었던 것 - 대학 고위 관계자들에게 바친 뇌물과 성 접대일 것입니다. 네, 맞습니다. 검사님이 느끼신 데로 작금의 대학은 심하게 부패했습니다. 저는 캠퍼스에서 늘 같은 환멸을 느꼈습니다. 저를 포함하여, 참을 수 없이 가벼운 인간들의 집합체였습니다.

하지만 노금희와의 동거 아닌 동거가 끝은 맺게 된 것은 그녀가 한 정치 검사의 아내가 되면서부터입니다. 바로 검사님의 동기이자 출세 지향 인간의 전형을 보여주던 바로 그분이 남편입니다. 탐욕 인간이 권력마저 갖추자 그녀의 욕망은 더욱 대담하고 뻔뻔스러워졌습니다. 수단과 방법을 가리지 않고 돈을 빨아들였습니다. 바로 검사님이 파악한 17가지의 사기 행각이 바로 이 시점에 벌어진 일이었습니다. 그리고 이 지점부터 그녀의 얼굴은 더욱 대담하게 성형으로 바뀌어 갔습니다. 현대 의학의 결정체라고 봐도 무방합니다.

그러므로 제니로 알려진 노금희는 이제 투명 인간에 가까워졌습니다. 속은 완전히 비었고 겉은 탐욕으로 뭉쳐진 현대인의 아이콘과도 같습니다. 그녀는 더 이상 인간의 가치를 지니고 있지 않습니다. 그녀는 어쩌면 제가 느끼는 삶의 고통과 번뇌를 형상화한 인조인간일 것입니다. 저는 그래서 불행한 시대의 패배자일 뿐입니다.

검사님. 목적하는 기차역에 거의 도착했습니다. 그럼 어느 특정한 날에 다시 뵙기를 기원합니다. 감사합니다.

그레고리 흘라디의 묘한 죽음

남킹

남킹 컬렉션 #001

남킹 컬렉션 #002

거짓과 상상
혹은
죄와 벌

남킹 장편소설

신의 땅
물의 꽃

남킹 장편소설

남킹 컬렉션 #003

심해
DEEP SEA

남킹 SF 장편소설

남킹 컬렉션 #004

남킹 컬렉션 #005

당신을 만나러 갑니다

남킹 사랑 이야기

블루 드래곤
744

남킹 대본집

남킹 컬렉션 #006

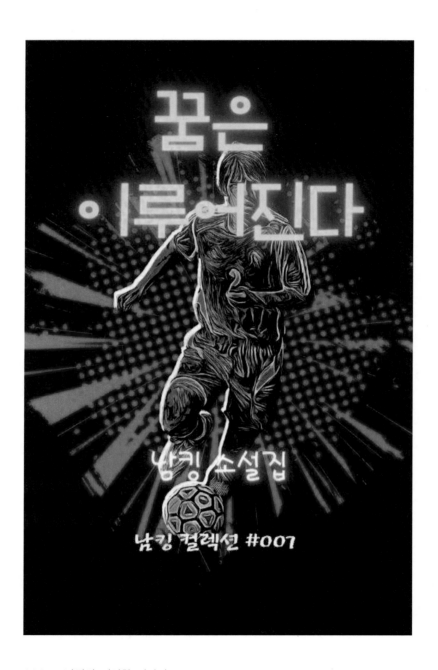

파벨 예언서

떠오르는 위협

남킹 장편소설

남킹 컬렉션 #008

떠날 결심

남킹 미니픽션

남킹 컬렉션 #009

리셋
Reset

남킹 SF 소설집

남킹 컬렉션 010

남킹 컬렉션 #011

1월의 비

남킹 감성 소설집

남킹 컬렉션 #012

남킹의 문장 1

언어의 마법사 남킹의 문장들

남킹 컬렉션 #013

남킹의 문장 2

언어의 마법사 남킹의 문장들

남킹의 문장

3

언어의 마법사 남킹의 문장들

남킹 컬렉션 #014

남킹 컬렉션 #16

남킹의 문장 4

남킹 컬렉션 #017

스네이크 아일랜드

1권

죽고싶지만 복수는 하고 싶어

남킹 판타지 스릴러

남킹 컬렉션 #018

천일의 여황제

세빈의 남자

남킹 판타지 소설

남킹 컬렉션 #019

이방인

남킹 장편소설

거리를
비워두세요

남 킹 음 악 에 세 이

남킹 컬렉션 #020

사랑 그 쓸쓸함
에 대하여

남킹 음악산문

남킹 컬렉션 #021

남킹의 문장 1
브런치 스토리

남 킹

남 킹 컬렉션 #022

알리칸테는

언제나 맑음

남 킹 에 세 이

남킹 컬렉션 #023

길에 내리는 빗물

남 킹 소 설 집

남킹 컬렉션 #024

서글픈
나의 사랑

남 킹 장편소설

남킹 컬렉션 #025

남킹 SF
소설집

브 런 치 스 토 리

남킹 컬렉션 #026

브런치 스토리

남킹 사랑 소설집

남킹 컬렉션 #028

남킹의 기이한 이야기

남킹의 음악과 굴

브런치 스토리

남킹 컬렉션 #031

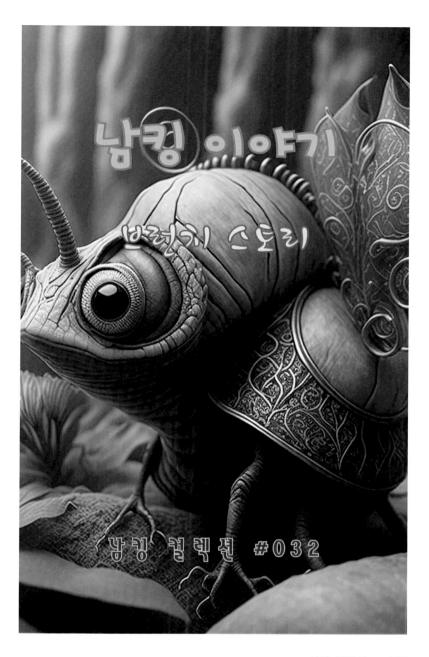

남킹 이야기

브런치 스토리

남킹 컬렉션 #032

눈물이 당신의

볼을 타고

브런치 스토리

남킹 컬렉션 #033

시시포스

브런치 스토리

남킹 소설집

남킹 컬렉션 #034

남킹 장편소설
미리보기

거짓과 상상 혹은 죄와 벌

그레고리홀라디의 표한 죽음

스네이크 아일랜드

파벨 예언서

천일의 여황제

신의 땅

이방인

심해물의 꽃

남킹 컬렉션 #035

죽이고 싶지만 섹스는 하고 싶어

남킹 범죄 소설집

남킹 컬렉션 #036

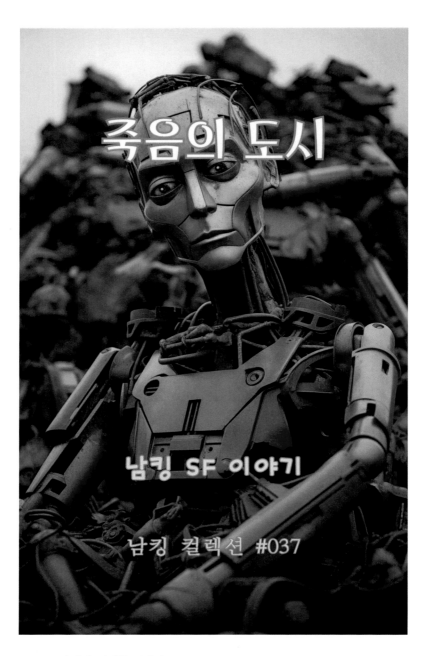

죽음의 도시

남킹 SF 이야기

남킹 컬렉션 #037

남킹의 기이한 이야기